图书在版编目（CIP）数据

世界上第一朵花 / 北京自然博物馆，赵妍著；廖杰，哐当哐当工作室绘. —北京：北京科学技术出版社，2020.6
(穿越时空的自然博物馆)
ISBN 978-7-5714-0777-3

Ⅰ. ①世… Ⅱ. ①北… ②赵… ③廖… ④哐… Ⅲ. ①古植物－进化－普及读物 Ⅳ. ① Q914.1-49

中国版本图书馆 CIP 数据核字 (2020) 第 026239 号

世界上第一朵花（穿越时空的自然博物馆）

作　　者：北京自然博物馆　赵　妍
绘　　者：廖　杰　哐当哐当工作室
策划编辑：阎泽群　刘　辰　代　冉
责任编辑：张　芳
责任印制：李　茗
图文制作：天露霖文化
封面设计：沈学成
出 版 人：曾庆宇
出版发行：北京科学技术出版社
社　　址：北京西直门南大街16号
邮政编码：100035
电话传真：0086-10-66135495（总编室）
0086-10-66161952（发行部传真）
0086-10-66113227（发行部）
网　　址：www.bkydw.cn
电子信箱：bjkj@bjkjpress.com
经　　销：新华书店
印　　刷：北京博海升彩色印刷有限公司
开　　本：787mm×1092mm　1/16
印　　张：2.25
版　　次：2020年6月第1版
印　　次：2020年6月第1次印刷
ISBN 978-7-5714-0777-3 / Q・189

定价：42.80元

世界上第一朵花

北京自然博物馆　赵　妍◎著
廖　杰　哐当哐当工作室◎绘

北京科学技术出版社

在诞生之初的地球上是没有生命的。那时的空气中没有氧气，可能只有水蒸气、二氧化碳、氮气等。后来，水蒸气逐渐凝聚成小水滴，落在地球上，渐渐汇集成了海洋。最早的生命就是在海洋中诞生的。

最早的生物只是一个小小的细胞，小到肉眼根本看不见，其中最著名的就是蓝细菌，它们可以通过光合作用产生氧气，这为后来的生物提供了生存基础。蓝细菌不分“男女”，繁殖时可以直接“复制”一个一模一样的自己，方便快捷。

　　随着时间的推移，海底物种逐渐丰富起来。大约 5 亿年前，各种藻类出现了。它们随着水波舞动，将海底变成了五光十色的花园。至今藻类这种生命形式也没有消失，我们平时吃的海带就属于藻类。藻类繁殖的方式多种多样，既可以自我复制，也可以“结婚生子”。如果你看见“春来江水绿如蓝”，或许就是水中的藻类在生宝宝。

藻类中的绿藻含有叶绿素 b，可以提高光合作用的效率，生成更多的养分。其实光合作用就是植物“吃饭”的方式，植物通过晒太阳将二氧化碳变成自己的“食物”，同时释放出氧气。

随着可以进行光合作用的藻类越来越多，地球上的氧气也越来越多。与此同时，海平面不断下降，陆地面积不断增加，一些生长在浅海区的藻类被迫露出水面，暴露在空气中。在这一过程中很多藻类渐渐死去，但也有一些在陆地上存活了下来。生命由此开始从海洋向大陆“进军”，矮小的苔藓就是“先锋军”。

苔藓都喜欢潮湿的环境，但其实苔和藓是两类植物。苔看起来像一片片平铺的树叶，而藓很多都能直立生长。苔和藓外形不同，各有千秋。

随后，裸蕨登上陆地。它们并未出现根、茎、叶的分化，而是靠整个绿色的身体去进行光合作用，因此得名裸蕨。不过，裸蕨已经长出了原始的维管组织。这种组织就像管子一样，可以输送水分和养分，并支撑植物的身体。

通常裸蕨每一枝都会一分为二，
顶部有小球，“种子”就藏在里面。

大约 3 亿年前，温暖而潮湿的地球成了植物的天堂。各种植物在陆地上大规模繁衍，形成了大片的森林。

森林中有高达数十米、树干上有排列得整整齐齐的叶痕的鳞木，有顶端分为两杈像扎了两个发髻的封印木，还有像竹子一样节节生长的芦木。这些远古植物不仅是当时一道美丽的风景，还为今天的地球提供了大量的煤炭资源，所以我们也将那个时期称为石炭纪。

大约 2 亿年前，拥有真正的根、茎、叶的真蕨繁盛起来。真蕨的幼叶是蜷缩着的，就像人握紧的拳头。随着一天天长大，叶片会慢慢伸展开。著名诗人李白就用“不知旧行径，初拳几枝蕨”的诗句描绘过这样的植物。

有些真蕨叶背上密密麻麻排列着一些小毛球，那是它们的孢子囊。

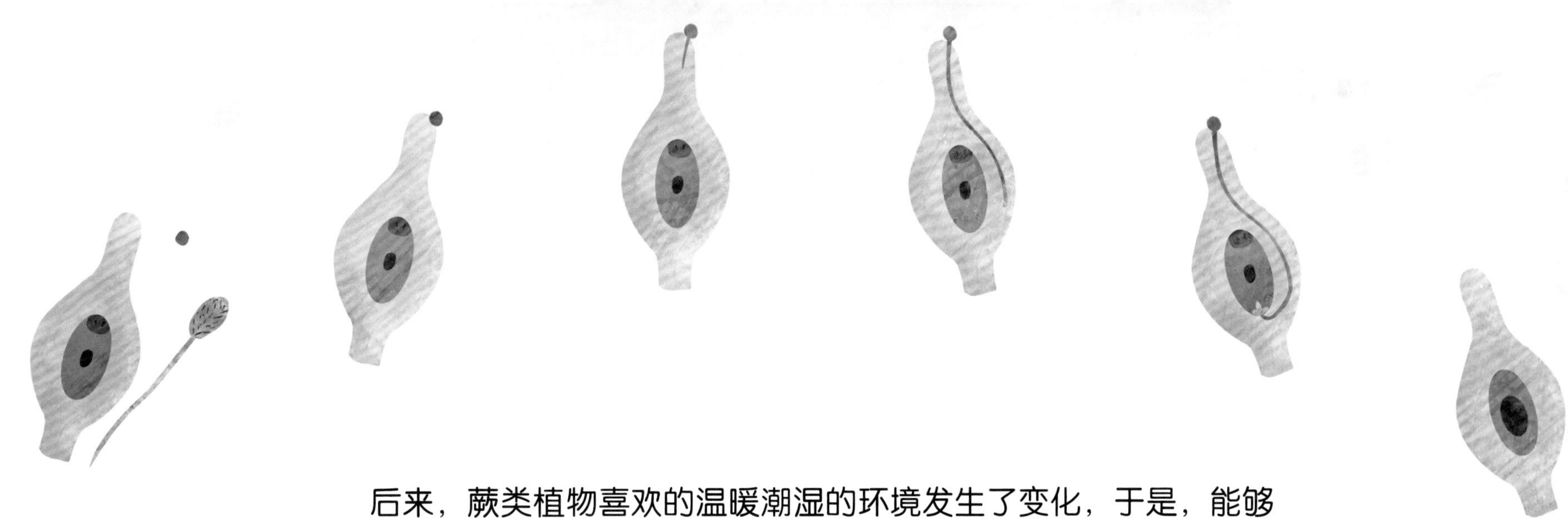

后来，蕨类植物喜欢的温暖潮湿的环境发生了变化，于是，能够适应寒冷与干旱的种子植物凸现了它们的优势，种子能埋在土壤里，以抵抗持续的干旱，等到条件适宜的时候再发芽。凭借这样的优势，种子植物迅速占领了当时的陆地。

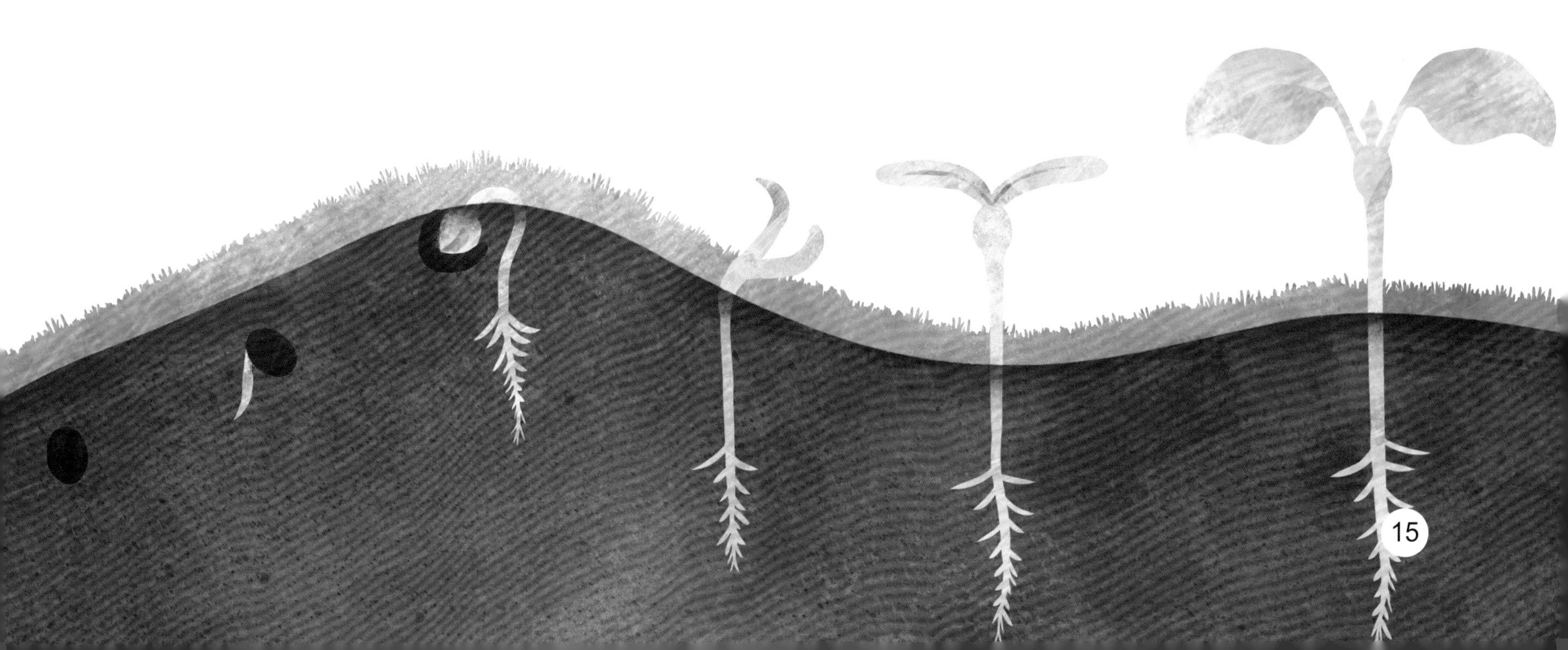

苏铁和银杏就是在那时出现在地球上的。它们外表虽然不同，但都是通过种子掉落在地面萌发新的植株。苏铁和银杏都是雌雄异株植物，雄树负责散布花粉，雌树则等待花粉飘过来，受精后形成种子。这种繁殖方式其实有点儿费力，因为为了保证繁殖成功，需要大量的花粉。苏铁和银杏的种子是“裸露”着的，并未得到保护，因此这些植物也被称为裸子植物。

在 1.25 亿年前的白垩纪，世界上的第一朵花开了，这就是发现于我国的辽宁古果。

对植物来说，开花是好事。花朵可以帮助植物吸引昆虫，昆虫可以有效地传播花粉，帮助植物繁殖。于是，花朵不仅要有美丽的外形，还要想尽办法产生诱人的香气和香甜的花蜜来吸引昆虫，一些花朵甚至长成了昆虫的模样。

虽然处在不同的气候和环境中，但花朵都有一个共同的任务——繁殖。有些花朵自己就能传粉，而大多数花朵需要风、昆虫或鸟儿帮助传粉。有些花朵会给昆虫提供一些花蜜作为回报，有些花朵则会伪装成昆虫的另一半欺骗它们前来“干活”。看来，植物们为了繁殖真可谓“八仙过海，各显神通”呢。

我们是经过妈妈十月怀胎来到这个世界上的，而有的植物的繁殖方式竟然也是“胎生”。为了适应海洋环境，有的红树林植物会让种子在脱离母体前，先长成小苗再掉落下来，这样就能避免种子在形成植株的过程中被海水侵害。

大约1万年前，某些植物开始由人类来种植。人们放弃了采集和狩猎，转而通过种植小麦来获得食物。为了让小麦产出更多的种子，人们不得不做大量除草、灌溉、施肥、驱虫等农活。

植物能从远古一直生存到现在，除了通过种子进行有性繁殖外，还有一个备用繁殖方式——无性繁殖，比如植物可以利用自己的根、块茎、叶子等营养器官进行繁殖。这种方法提高了植物繁殖的速度，也能保持其自身的特性。

植物的繁衍与我们的生活息息相关。世界上各种各样的植物不仅为我们提供了食物和衣服原料等，还为我们提供了不可缺少的氧气。了解植物的演化过程，可以帮助植物更好地繁殖。